LES PETITS CAHIERS

Collection dirigée par Jean-Luc Caron

Des jeux avec les sons et les lettres

5-7 ANS

Magdalena Guirao-Julien

Illustrations de Lucile Ahrweiller

RETZ

www.editions-retz.com

9 bis, rue Abel Hovelacque

75013 Paris

SOMMAIRE

© RETZ 2012
ISBN : 978-2-7256-2975-9

Les consonnes

• Entendre et écrire R	R comme renard	18-19
• Entendre et écrire F	F comme fantôme	20-21
• Entendre et écrire S	S comme sorcière	26-27
• Entendre et écrire CH	CH comme chevalier	28-29
• Entendre et écrire L	L comme loup	30-31
• Entendre et écrire M	M comme marmotte	32-33
• Entendre et écrire N	N comme nuage	34-35
• Entendre et écrire V et Z	V comme vélo, Z comme zèbre	36-37
• Entendre et écrire G et J	G comme girafe, J comme jumelles	38-39
• Entendre et écrire C, Q et K	C et Q comme coq, K comme koala	44-45
• Entendre et écrire P	P comme poule	46-47
• Entendre et écrire D	D comme dinosaure	48-49
• Entendre et écrire T	T comme tortue	50-51
• Entendre et écrire B	B comme baleine	56-57

Les semi-voyelles

• Entendre et écrire ON	ON comme cochon	22-23
• Entendre et écrire OU	OU comme ours	24-25
• Entendre et écrire AN	AN comme orange	40-41
• Entendre et écrire OI	OI comme oiseau	42-43
• Entendre et écrire IN	IN comme lapin	52-53
• Entendre et écrire AI	AI comme aigle	54-55
• Entendre et écrire EU et ŒU	EU comme feu, ŒU comme cœur	58-59
• Entendre et écrire des sons	Jouons avec AI, ON, OU, OI, EU, IN, AN	60-61

L'alphabet

A B C D E F G H I J K L M

1 Complète l'alphabet.

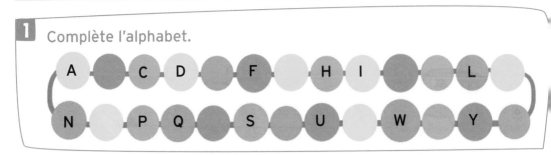

2 Relie chaque majuscule à sa minuscule.

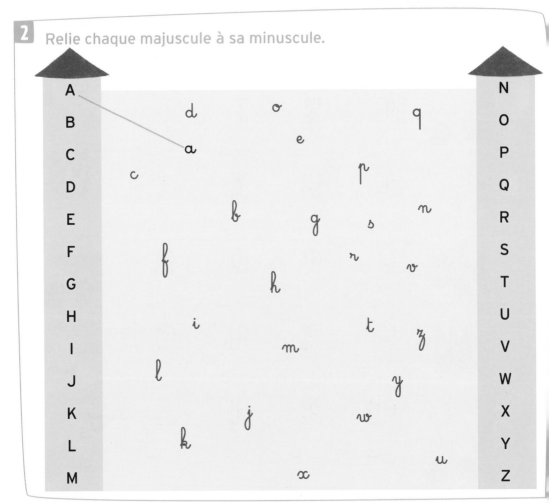

N O P Q R S T U V W X Y Z

3 Écris la lettre minuscule qui correspond à la majuscule.

A comme ananas

1 Dans l'image, entoure tous les dessins où tu entends a .

2 Colorie les cases où tu entends a .

3 Colorie tous les **a**, quelle que soit leur forme : a, $\mathcal{A}$, a, **A**.

A

E

a

σ

a

e

$\mathcal{A}$

O

H

4 Entoure les lettres **a** dans la phrase.

Une abeille se cache
dans un ananas.

5 Écris la lettre a sous le dessin si tu entends (a).

___   ___   ___

___   ___   ___

O comme otarie

1 Colorie les dessins si tu entends (O).

2 Colorie les cases où tu entends (O).

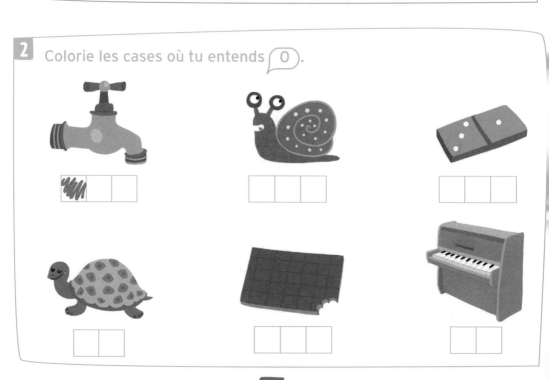

3 Entoure tous les **o**, quelle que soit leur forme : o, ⓞ, o, O.

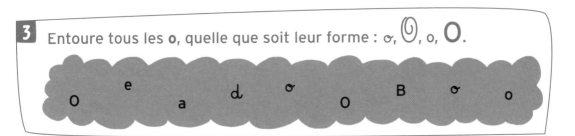

O   e   a   d   o   O   B   o   o

4 Entoure les lettres **o** dans la phrase.

L'otarie obéit au robot.

5 Écris la lettre o sous le dessin si tu entends (o).

___   ___   ___

___   ___   ___

I comme igloo Y comme stylo

1 Observe cette scène et dis tout ce qui s'y trouve.
Entoure les dessins si tu entends (i) .

2 Colorie les cases où tu entends (i) .

3 Entoure les **i** en noir et les **y** en rouge, quelles que soient leurs formes.

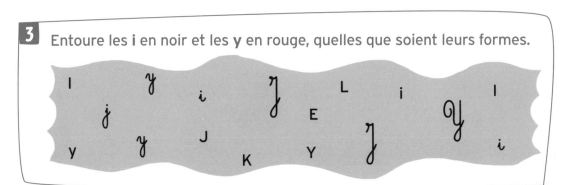

4 Entoure les lettres **i** et **y** dans la phrase.

**Je dessine un igloo
avec mon stylo.**

5 Regarde les mots illustrés.

pyjama   biberon   ciseaux   stylo

Complète les mots avec y ou i.

b_beron   st_lo   p_jama   c_seaux

U comme usine

1 Enferme dans un nuage tous les dessins où tu entends (u).

2 Colorie les cases où tu entends (u).

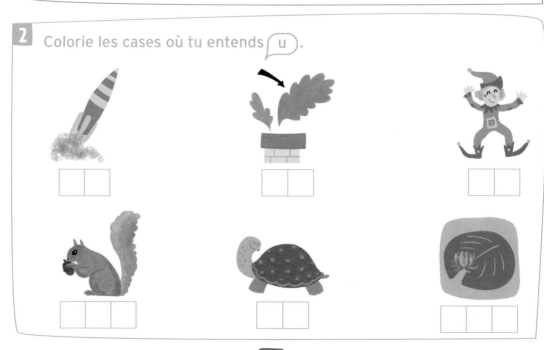

3 Entoure les **u**, quelle que soit leur forme : u, 𝒰, u, **U**.

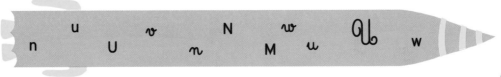

n u ʋ N ѡ 𝒰 w
U ɳ M u

4 Entoure les lettres **u**
dans la phrase.

Une usine fabrique des nuages.

5 Écris la lettre u sous le mot si tu entends (u).

—

—

—

—

—

—

E comme cerise É comme épée

1
- Entoure en rouge les dessins où tu entends (é).
- Entoure en bleu les dessins où tu entends (e).

2 Regarde les mots illustrés.

cerise   bébé   renard   clé

Copie les mots dans les bonnes boîtes.

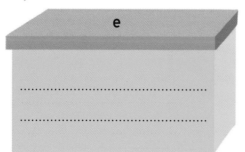
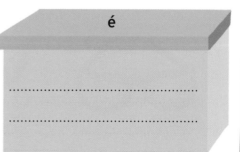

È comme chèvre Ê comme forêt

1 Observe cette scène et dis le nom de tout ce qui s'y trouve.
Entoure les dessins si tu entends è .

2 Regarde les mots illustrés.

cuillère   fenêtre   forêt   chèvre

Copie les mots dans les bonnes maisons.

è

ê

....

....

....

....

Jouons avec les voyelles

1 Relie les dessins au(x) son(s) qui correspond(ent).

2 Complète la grille avec ces voyelles :

a – e – i – o – u – ê – è – é

Aide-toi des dessins en bas de la page.

crocodile

nuage

tête

chèvre

clé

kiwi

otarie

fenêtre

R comme renard

1 Entoure les dessins où tu entends (r).

2 Colorie les cases où tu entends (r).

3 Relie la lettre **r** aux voyelles et écris les syllabes ainsi formées.
Relie ensuite au mot qui contient cette syllabe.

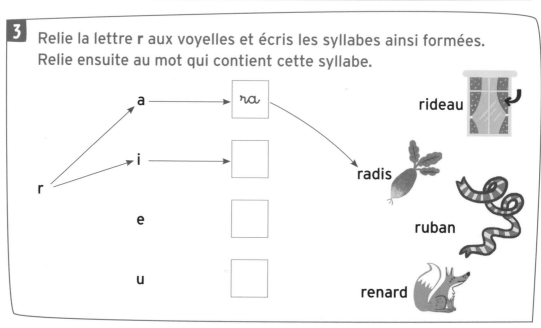

a → *ra*   rideau

i → ☐

e ☐   radis

r

u ☐   ruban

renard

4 Entoure les **r** quelle que soit leur forme : *r*, *R*, r, R.

R   H   *R*   *B*   n   *P*
r   r   *r*   R

5 Entoure les lettres **r** dans la phrase.

Le renard regarde
la poule rousse.

6 Complète les mots avec les syllabes *ra* — *re* — *ri* — *ro* — *ru* — *ré*.

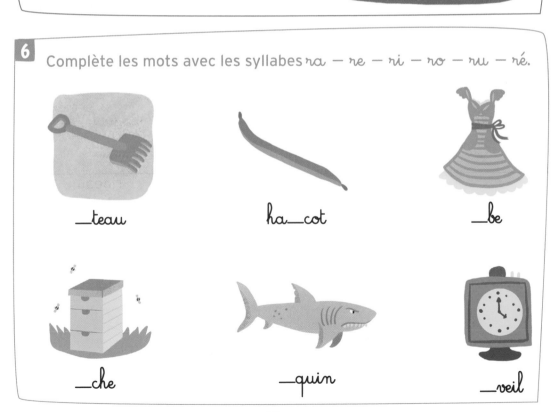

_teau   ha_cot   _be

_che   _quin   _veil

F comme fantôme

1 Entoure les dessins où tu entends (f).

2 Colorie les cases où tu entends (f).

3 Relie la lettre **f** aux voyelles et écris les syllabes ainsi formées.
Relie ensuite au mot qui contient cette syllabe.

a ⟶ ☐

é ⟶ ☐

f

i ☐

u ☐

fée

farine

confiture

fumée

4 Entoure les f quelle que soit leur forme : f, F, f, **F**.

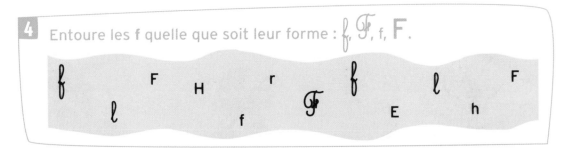

f   F   H   r   f   l   F
l   f   F   E   h

5 Entoure les lettres **f** dans la phrase.

Un fantôme fait un feu en forêt.

6 Complète les mots avec les syllabes fa − fo − fi − fu − fe − fé.

_rêt   _sée   _let

rine   ca   _nêtre

ON comme cochon

1 Le pompier arrose tous les dessins où tu entends (on).
Relie ces dessins à sa lance.

2 Colorie les cases où tu entends (on).

3 Entoure les **on** quelle que soit leur forme : on, On, on, ON.

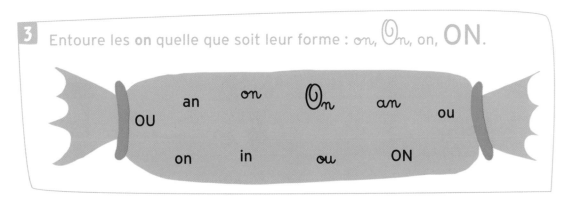

an   on   On   an   ou

OU

on   in   ou   ON

4 Entoure les **on** dans la phrase.

Le cochon et le mouton
sont sous le pont.

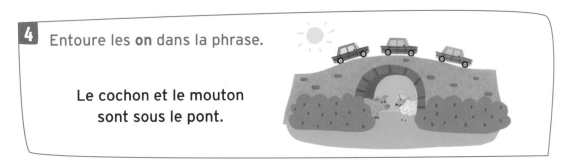

5 Écris on sous le dessin quand tu entends (on).

___   ___   ___   ___

OU comme ours

1 Pour manger le mouton, le loup doit prendre le chemin des (ou).
Quel est le bon chemin ? Trace-le.

2 Colorie les cases où tu entends (ou).

3 Entoure les **ou** quelle que soit leur forme : ou, 𝒪u, ou, OU.

oh   ou   𝒪u   an   OU   ou   OH

ou   on   uo   ou

4 Entoure les **ou** dans la phrase.

L'ours brun se roule
dans la boue.

5 Écris on ou ou pour compléter le mot.

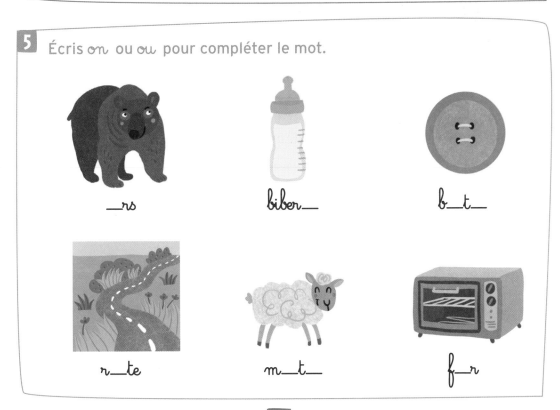

_rs

biber_

b_t_

r_te

m_t_

f_r

S comme sorcière

1 Entoure dans le serpent les dessins où tu entends (s).

2 Colorie les cases où tu entends (s).

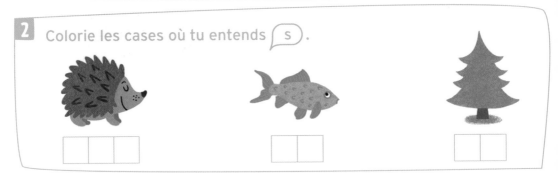

3 Relie la lettre **s** aux voyelles et écris les syllabes ainsi formées.
Relie ensuite au mot qui contient cette syllabe.

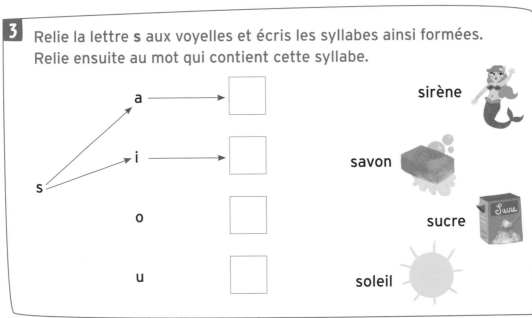

a

i

o

u

s

sirène

savon

sucre

soleil

4 Entoure les **s** quelle que soit leur forme : ʂ, ϛ, s, S.

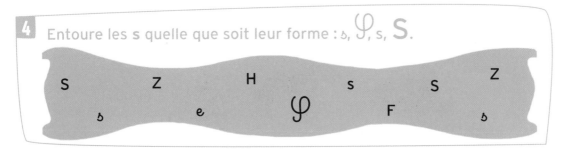

S   Z   H   s   S   Z

ʂ   e   ϛ   F   ʂ

5 Entoure les lettres **s** dans la phrase.

**La sorcière passe la serpillière
sur le sol.**

6 Complète les mots avec les syllabes *so – sa – su – sou – si – sè.*

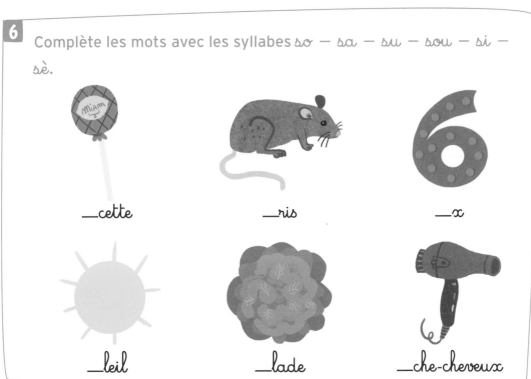

_cette   _ris   _x

_leil   _lade   _che-cheveux

CH comme chevalier

1 Entoure les dessins si tu entends (ch).

2 Colorie les cases où tu entends (ch).

3 Entoure les **ch** quelle que soit leur forme : ch, Ch, ch, CH.

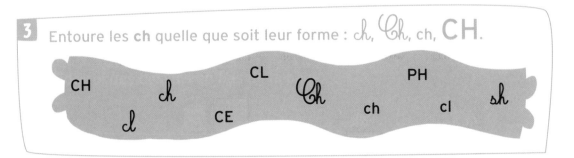

CH CL PH
ch Ch ch cl sh
cl CE

4 Entoure les **ch** dans la phrase.

Un chevalier chevauche
son cheval en chantant.

5 Écris le mot qui convient sous chaque dessin.

rateau   cochon   cerise
chateau   coton   chemise

....

L comme loup

1 Pour atteindre la libellule, son ami le crapaud doit sauter sur les planches dont le dessin contient le son l. Trace son chemin.

2 Colorie les cases où tu entends l.

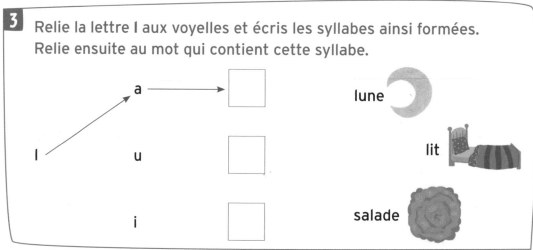

3 Relie la lettre l aux voyelles et écris les syllabes ainsi formées. Relie ensuite au mot qui contient cette syllabe.

a → ☐   lune

l   u   ☐   lit

i   ☐   salade

4 Entoure les l quelle que soit leur forme : *l*, *ℒ*, ɪ, **L**.

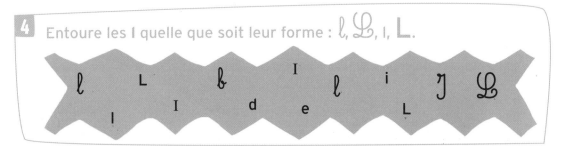

l   L   l   b   I   l   i   ɡ   ℒ
l   I   d   e   L

5 Entoure les lettres l dans la phrase.

Le loup hurle sous la lune.

6 Complète les mots avec les syllabes *la – le – lo – lu – lou – li.*

_nettes   va_se   _p

pou_   vé_   choco_t

M comme marmotte

1 Sur l'étagère, barre tous les dessins où tu n'entends pas (m).

2 Colorie les cases où tu entends (m).

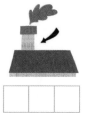  

3 Relie la lettre **m** aux voyelles et écris les syllabes ainsi formées. Relie ensuite au mot qui contient cette syllabe.

u ⟶ [ ] muguet

m e [ ] maïs

a [ ] palmes

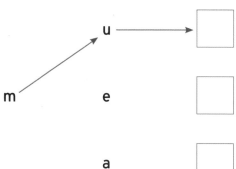

4 Entoure les **m** quelle que soit leur forme : m, M, m, M.

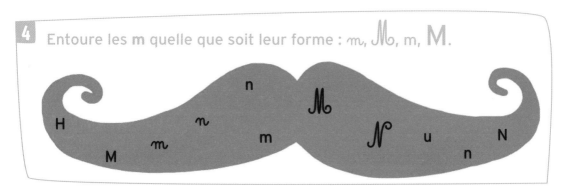

H
M
n
m
m
m
M
N
u
N
n

5 Entoure les lettres **m** dans la phrase.

**La marmotte mange des myrtilles,
miam, miam !**

6 Écris le mot qui convient sous chaque dessin.

loto

moto

ventre

montre

moulin

lapin

....

N comme nuage

1 Colorie en bleu les nuages quand tu entends (n).

2 Colorie les cases où tu entends (n).

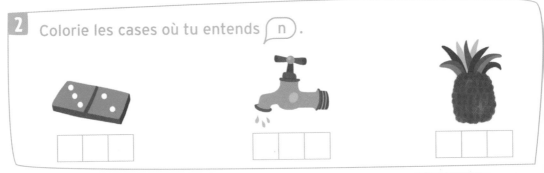

3 Relie la lettre **n** aux voyelles et écris les syllabes ainsi formées. Relie ensuite au mot qui contient cette syllabe.

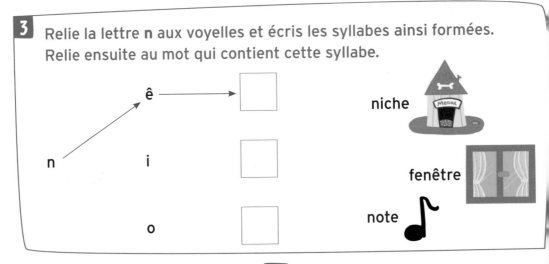

ê

n   i

o

niche

fenêtre

note

4 Entoure les **n** quelle que soit leur forme : n, N, n, N.

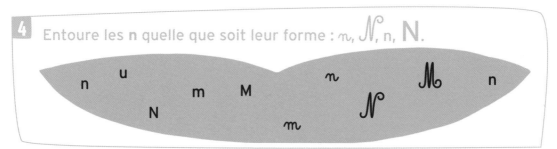

n   u

m   M

N

m

n

N

M

n

5 Entoure les lettres **n** dans la phrase.

**Dans la nuit noire, les rennes tirent
le traîneau du père Noël
au milieu des nuages.**

6 Complète les mots avec les syllabes nu – na – nè – no – né – ni.

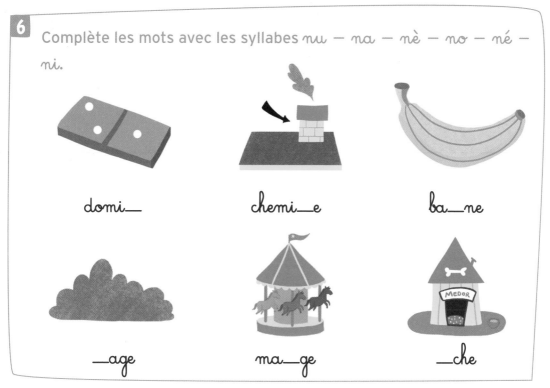

domi___

chemi__e

ba__ne

___age

ma__ge

___che

V comme vélo Z comme zèbre

1 Relie les dessins où tu entends (v) à la vache.

Relie les dessins où tu entends (z) au zèbre.

2 Écris *v* ou *z* dans la case où tu l'entends.

3 Entoure en rouge les **z** et en bleu les **v**

quelles que soient leurs formes : *z*, *Z*, z, Z ; *v*, *V*, v, V.

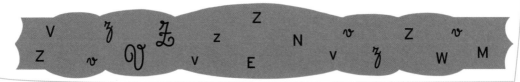

4 Dans la phrase, entoure les lettres **z** en rouge et **v** en bleu.

Je vais au zoo à vélo pour voir
les zèbres et les vautours.

5 Complète les mots avec *z* ou *v*.

0,1,2 _éro

_élo

dou_e

_orro

la_abo

on_e

a_ion

_oiture

G comme girafe J comme jumelles

1 Entoure les dessins quand tu entends ⏜j⏜ dans leur nom.

2 Colorie les cases où tu entends ⏜j⏜.

3 Entoure les **j** en bleu et les **g** en rouge quelles que soient leurs formes :

j, J, j, J ; g, G, g, G.

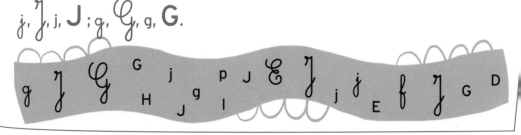

4 Dans la phrase, entoure les lettres j en rouge et **g** en bleu.

J'observe une girafe et un singe avec mes jumelles.

5 Observe ces mots et copie-les dans la bonne maison.

courgette

jardin

bougie

gilet

judo

singe

jupe

jambon

g

j

jardin

AN comme orange

1 Dessine un fantôme sous le dessin quand tu entends (an) .

2 Colorie les cases où tu entends (an).

3 Entoure les **an** quelle que soit leur forme : *an*, *An*, an, AN.

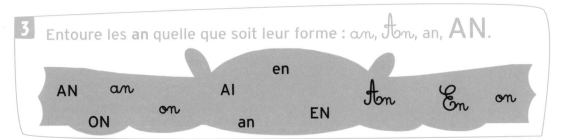

AN   *an*   AI   en   *An*   *En*   *on*
ON   *on*   an   EN

4 Entoure les **an** dans la phrase.

Maman accroche des guirlandes oranges sur les branches du sapin.

5 Complète les mots avec *on*, *an*, *ou*.

m_t_   p_tal_   k_g_r_

_cre   f_tôme   l_gue

Oi comme oiseau

1 Dans cette image, entoure les dessins quand tu entends (oi) .

2 Colorie les cases où tu entends (oi) .

3 Entoure les **oi** quelle que soit leur forme : oi, Oi, oi, OI.

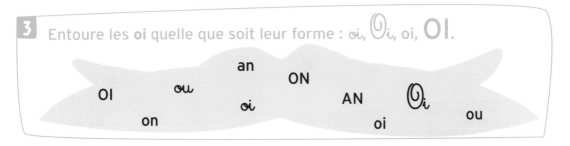

an
ON
OI
ou
oi
AN
Oi
on
oi
ou

4 Entoure les **oi** dans la phrase.

L'oiseau sur le toit
voit le poisson.

5 Complète les mots avec oi ou ou.

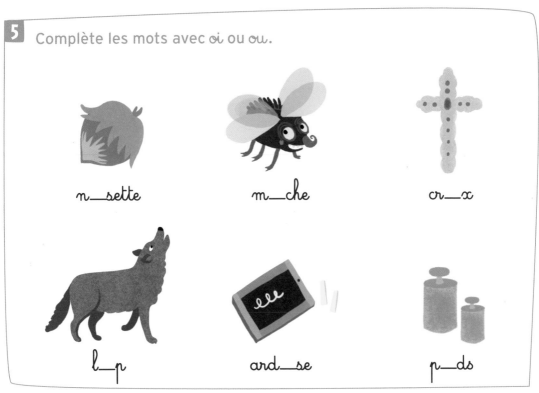

n__sette

m__che

cr__x

l__p

ard__se

p__ds

C et Q comme coq   K comme koala

1 Entoure les cartes avec les dessins où tu entends (k).

2 Colorie les cases où tu entends (k).

3 Entoure les **c** en bleu, les **q** en rouge, les **k** en vert quelles que soient leurs formes : c, 𝒞, c, **C** ; q, 𝒬, q, **Q** ; k, 𝒦, k, **K**.

Q   C   K   M   c   k   k   𝒦   q
𝒬   q   p   𝒞   o   x   Q   k   c

4 Dans la phrase, entoure les lettres **c** en bleu, **q** en rouge, **k** en vert.

Le kangourou, le perroquet et le coq jouent aux quilles avec le koala.

5 Écris les mots dans la bonne colonne.
koala - cochon - moustique - kangourou - quille - escargot

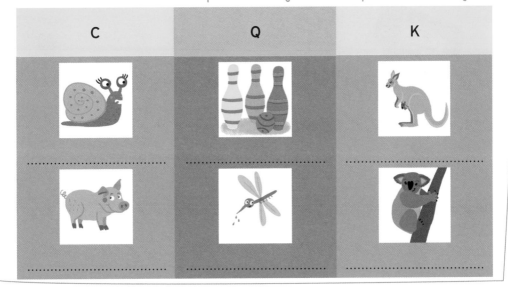

C	Q	K

P comme poule

1 Dans le placard, barre les objets quand tu n'entends pas (p) .

2 Colorie les cases où tu entends (p) .

3 Entoure les **p** quelle que soit leur forme : p, $\mathcal{P}$, p, P.

p

b   d   p   j $\mathcal{P}$ $\mathcal{B}$ p   P

q   p

4 Entoure les lettres **p** dans la phrase.

Dans le poulailler,
la petite poule picore du pain.

5 Entoure le mot qui correspond au dessin, puis écris-le.

poussin
coussin

....

roche
poche

....

kiwi
pipe

....

poisson
boisson

....

papillon
pavillon

....

pomme
gomme

....

D comme dinosaure

1 Colorie le nœud des cadeaux contenant un jouet où on entend d .

2 Colorie les cases où tu entends d .

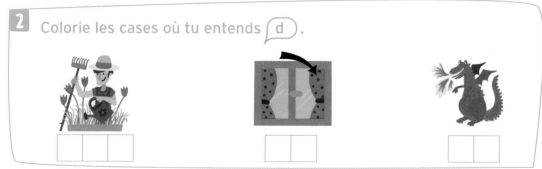

3 Relie la lettre **d** aux groupes de lettres et écris les syllabes ainsi formées. Relie ensuite au mot qui contient cette syllabe.

d

on ⟶ [ ]   danseuse

an   [ ]   dindon

ou   [ ]   douche

4 Entoure les **d** quelle que soit leur forme : d, $\mathcal{D}$, d, **D**.

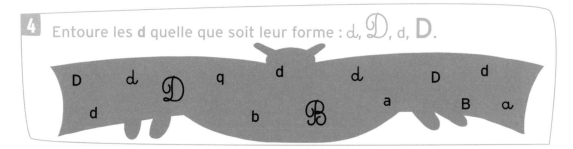

D   d $\mathcal{D}$ q   d   d   D   d

d   b $\mathcal{B}$ a   B   a

5 Entoure les lettres **d** dans la phrase.

Le garçon joue dans la douche avec son dragon et son dinosaure.

6 Complète les mots avec les syllabes di — dé — do — du — doi — dou.

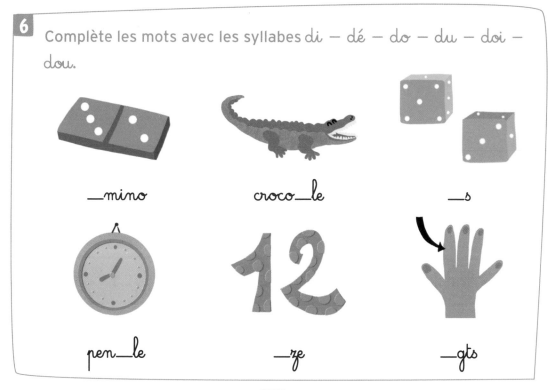

___mino   croco___le   ___s

pen___le   ___ze   ___gts

T comme tortue

1 Pour aller jusqu'au tournesol, la tortue doit passer par les dessins où tu entends (t). Trace son chemin.

2 Colorie les cases où tu entends (t).

3 Relie la lettre **t** aux voyelles et écris les syllabes ainsi formées. Relie ensuite au mot qui contient cette syllabe.

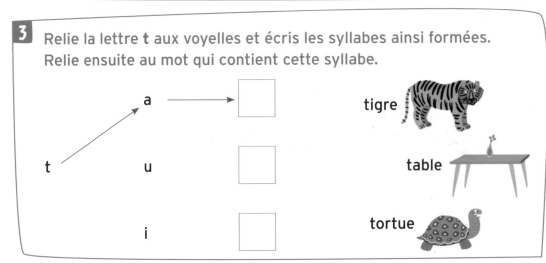

a → ☐   tigre

t   u   ☐   table

i   ☐   tortue

4 Entoure les **t** quelle que soit leur forme : t, 𝒯, t, T.

T E H 𝒯 l t 𝒫 t l T I 𝒫 T L

5 Entoure les lettres **t** dans la phrase.

La tortue tape sur le tambour
avec des baguettes.

6 Entoure le mot qui correspond au dessin et écris-le.

tomate
pommade

....

souris
toupie

....

bateau
ballon

....

moto
vélo

....

voiture
voiture

....

école
étoile

....

IN comme lapin

1 Dans l'image, entoure tous les dessins où tu entends (in).

2 Colorie les cases où tu entends (in).

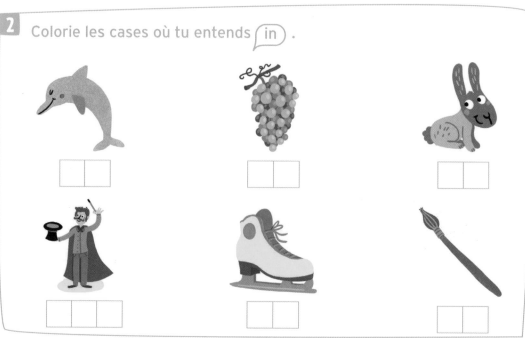

3 Entoure les **in** quelle que soit leur forme : *in*, *In*, in, IN.

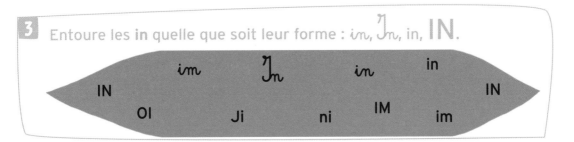

im   In   in   in

IN   IN

OI   Ji   ni   IM   im

4 Entoure les **in** dans la phrase.

Le petit lapin court
sur le chemin
qui va au moulin.

5 Écris *in* sous le dessin quand tu entends (in).

___   ___   ___

___   ___   ___

AI comme aigle

1 Entoure les dessins quand tu entends (ai).

2 Colorie les cases où tu entends (ai).

3 Entoure les **ai** quelle que soit leur forme : ai, Ai, ai, AI.

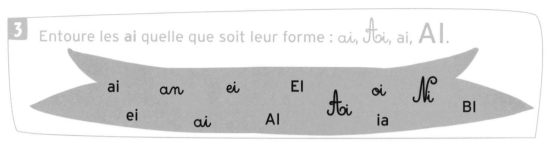

ai   an   ei   EI   oi   Ni   BI

ei   ai   AI   Ai   ia

4 Entoure les **ai** dans la phrase.

L'aigle a de grandes ailes.

5 Écris les mots à l'aide des syllabes.

son   mai   lai   ne   se   frai

....

lai   ba   sin   rai   pa   lais

....

B comme baleine

1 Dans le ventre de la baleine, entoure les dessins quand tu entends (B).

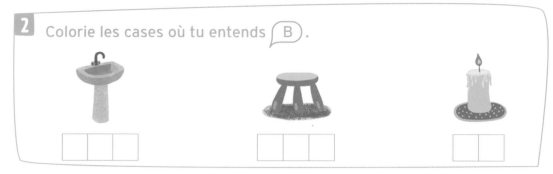

2 Colorie les cases où tu entends (B).

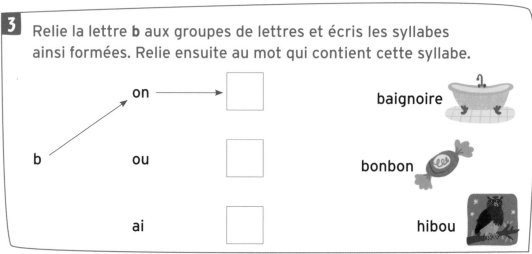

3 Relie la lettre **b** aux groupes de lettres et écris les syllabes ainsi formées. Relie ensuite au mot qui contient cette syllabe.

on ⟶ [ ]   baignoire

b   ou   [ ]   bonbon

ai   [ ]   hibou

4 Entoure les **b** quelle que soit la forme : *b*, *B*, b, **B**.

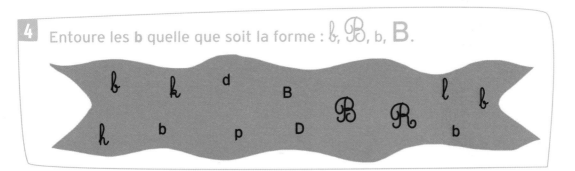

b   *k*   d   B   *B*   *R*   *l*   *b*

h   b   p   D   b

5 Entoure les lettres **b** dans la phrase.

**La baleine bleue prend son bain
dans la baignoire.**

6 Complète les mots avec les syllabes *bi – ba – bou – bon – bé – bo.*

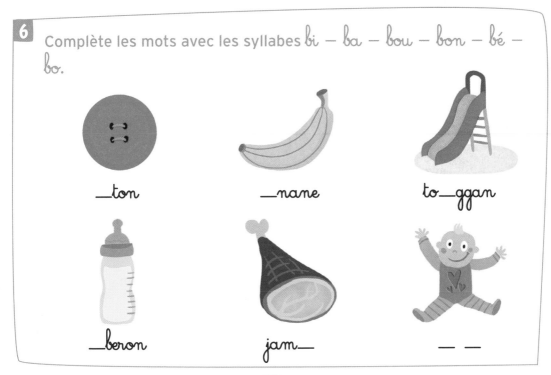

_ton   _nane   to_ggan

beron   jam   _ _

EU comme feu   ŒU comme cœur

1 Colorie les cœurs en rouge si tu entends (eu).

2 Colorie les cases où tu entends (eu).

3 Entoure les **eu** en rouge et les **œu** en vert quelles que soient leurs formes : eu, *Eu*, eu, EU ; œu, *Œu*, œu, ŒU.

ŒU   ou   *En*   *Eu*   on

EU   OI   œu

œu   *Œu*   UE   eu   OU

eu

4 Dans la phrase, entoure les **eu** en rouge
et les **œu** en vert.

Le bœuf fait les yeux doux
à la vache de son cœur.

5 Observe ces mots et copie-les dans la bonne colonne.

œuf

pneu

fleur

cœur

neuf

nœud

œu	eu
....	....
....	....
....	....

Jouons avec AI ON OU OI EU IN AN

1 Relie les dessins au(x) son(s) qui correspond(ent).
Il peut y avoir plusieurs sons.

2 Complète la grille avec ces lettres :

ou – on – oi – eu – in – an – ai

Aide-toi des dessins en bas de la page.

dragon

loup

roi

chaudron

fantôme

lutin

feu

araignée

Mets un doigt sur un son et trouve dans

Une image peut
correspondre
à plusieurs sons.

c

A

an

ê

a

EU

Ai

f

O

T

I

N

l'escargot l'image qui lui correspond.

Des jeux avec les sons et les lettres (5-7 ans)

Présentation

Pour apprendre à lire et à écrire les mots de notre langue, l'enfant doit être capable d'une part de repérer et discriminer ses phonèmes (les sons distinctifs du langage, par exemple [ʃ]), d'autre part de connaître et distinguer ses graphèmes (les unités graphiques minimales, par exemple « ch »), mais aussi de connaître la correspondance entre ces deux éléments.

Autrement dit, l'enfant doit apprendre à transformer en sons les lettres qu'il rencontre dans les mots, et inversement.

Cet ouvrage a pour objectif de permettre au jeune enfant de s'entraîner à reconnaître des lettres et des sons et à en maîtriser les correspondances. Il va aborder les voyelles, les consonnes et les sons composés (an, ou, on...) grâce à différents jeux où il devra notamment :

• reconnaître les différentes graphies d'une lettre (script, cursive, majuscule, minuscule) ;
• retrouver des mots contenant un son ;
• repérer la syllabe d'un mot contenant un son ;
• associer des lettres pour constituer une syllabe ;
• associer des syllabes pour écrire un mot.

Conseils d'utilisation

Ce Petit Cahier peut être utilisé de façon linéaire, ou selon les lettres et les sons étudiés en classe. Même si l'enfant prend beaucoup de plaisir à effectuer les activités proposées, il est préférable qu'il s'entraîne peu de temps à chaque fois − une page, voire deux au maximum −, mais de façon régulière.

Assurez-vous de la bonne compréhension des consignes et, en cas de besoin, donnez-lui un indice pour lui permettre de réussir ce qui est demandé.

En cas de lassitude, ou si l'enfant se trouve en réelle difficulté, laissez momentanément le cahier de côté. Vous le reprendrez plus tard en partant des dernières réussites de l'enfant. Il est important que les activités proposées dans ce Petit Cahier soient considérées comme un jeu à faire avec l'enfant et non comme un exercice obligatoire. Les situations proposées sont très efficaces pour permettre à l'enfant d'associer les lettres avec les sons et ainsi appréhender la lecture et l'écriture des mots. Il est cependant nécessaire, pour apprendre à bien lire, que l'enfant s'approprie le sens des mots en les entendant ou en les utilisant dans un contexte langagier. Nous recommandons pour cela d'échanger régulièrement avec l'enfant et de lire avec lui de petites histoires.

Direction éditoriale : Sylvie Cuchin
Édition : Élodie Chaudière, Céline Lorcher
Création de maquette : Sarbacane Design
Mise en pages : Laser Graphie
N° de projet : 10223550 - Dépôt légal : juin 2012- N° d'impression : 601297
Achevé d'imprimer en France en février 2016
sur les presses de l'imprimerie Laballery